Mãe
O maior presente da nossa vida

1ª Edição – Fevereiro de 2015

Grafia atualizada segundo o Acordo Ortográfico da Língua Portuguesa de 1990, que entrou em vigor no Brasil em 2009.

Editor e Publisher
Luiz Fernando Emediato

Diretora Editorial
Fernanda Emediato

Editor
Marcos Torrigo

Produtora Editorial e Gráfica
Priscila Hernandez

Seleção e Adaptação
Iris Goellner

Assistente Editorial
Adriana Carvalho

Assistente de Arte
Nathalia Pinheiro

Capa, Projeto Gráfico e Diagramação
Megaarte Design

Revisão
Josias A. de Andrade
Marcia Benjamim

Dados Internacionais de Catalogação na Publicação (CIP)
(Câmara Brasileira do Livro, SP, Brasil)

Mãe : o maior presente da nossa vida. – 1. ed. – São Paulo :
Jardim dos Livros, 2015.

Vários autores.
ISBN 978-85-8484-002-1

1. Amor 2. Mãe - Citações, máximas etc. 3. Livros-presente 4. Poesias brasileiras.

15-00778 CDD-802

Índice Para Catálogo Sistemático

1. Livros-presente 802

EMEDIATO EDITORES LTDA.
Rua Gomes Freire, 225 – Lapa
CEP: 05075-010 – São Paulo – SP
Telefax: (+ 55 11) 3256-4444
E-mail: jardimdoslivros@geracaoeditorial.com.br
www.geracaoeditorial.com.br

Impresso no Brasil
Printed in Brazil

Mãe
O maior presente da nossa vida
Os mais belos poemas e frases
Jardim Dos Livros

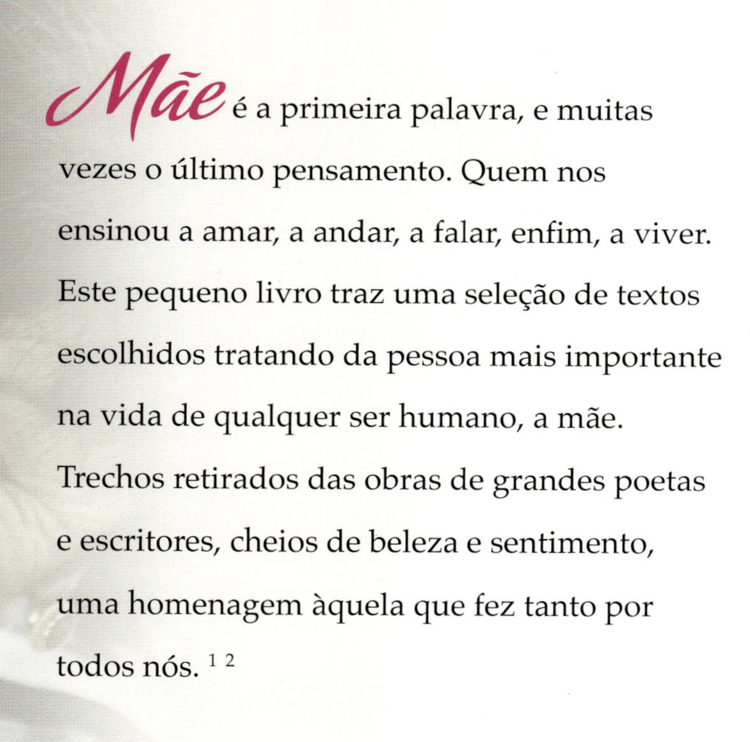

Mãe é a primeira palavra, e muitas vezes o último pensamento. Quem nos ensinou a amar, a andar, a falar, enfim, a viver. Este pequeno livro traz uma seleção de textos escolhidos tratando da pessoa mais importante na vida de qualquer ser humano, a mãe. Trechos retirados das obras de grandes poetas e escritores, cheios de beleza e sentimento, uma homenagem àquela que fez tanto por todos nós. [1] [2]

1 Nota de esclarecimento: muitos trechos deste livro estão com a sua grafia original, o que difere da atual. São textos antigos ou mesmo em português lusitano.

2 Esses textos foram compilados de diversas fontes.

Tu, grande Mãe! ... do amor de teus filhos escrava,
Para teus filhos és, no caminho da vida,
Como a faixa de luz que o povo hebreu guiava
À longe Terra Prometida.

Jorra de teu olhar um rio luminoso.
Pois, para batizar essas almas em flor,
Deixas cascatear desse olhar carinhoso
Todo o Jordão do teu amor.

E espalham tanto brilho as asas infinitas
Que expandes sobre os teus, carinhosas e belas,
Que o seu grande clarão sobe, quando as agitas,
E vai perder-se entre as estrelas.

E eles, pelos degraus da luz ampla e sagrada,
Fogem da humana dor, fogem do humano pó,
E, à procura de Deus, vão subindo essa escada,
Que é como a escada de Jacó.

Olavo Bilac, 1944.

Como a crisálida emergindo do ovo

Para que o campo flórido a concentre,

Assim, oh! Mãe, sujo de sangue, um novo

Ser, entre dores, te emergiu do ventre!

E puseste-lhe, haurindo amplo deleite,

No lábio róseo a grande teta farta

— Fecunda fonte desse mesmo leite —

Que amamentou os éfebos de Esparta.

Com que avidez ele essa fonte suga!

Ninguém mais com a Beleza está de acordo,

Do que essa pequenina sanguessuga,

Bebendo a vida no teu seio gordo!

Pois, quanto a mim, sem pretensões, comparo,
Essas humanas coisas pequeninas
A um biscuit de quilate muito raro
Exposto aí, à amostra, nas vitrinas.

Mas o ramo fragílimo e venusto
Que hoje nas débeis gêmulas se esboça,
Há de crescer, há de tornar-se arbusto
E álamo altivo de ramagem grossa.

Clara, a atmosfera se encherá de aromas,
O Sol virá das épocas sadias
E o antigo leão, que te esgotou as pomas
Há de beijar-te as mãos todos os dias!

(trecho) Augusto dos Anjos, 1941.

Mãe — que adormente este viver dorido,

E me vele esta noite de tal frio,

E com as mãos piedosas ate o fio

Do meu pobre existir, meio partido...

Que me leve comsigo, adormecido,

Ao passar pelo sitio mais sombrio...

Me banhe e lave a alma lá no rio

Da clara luz do seu olhar querido...

Eu dava o meu orgulho de homem — dava

Minha esteril sciencia, sem receio,

E em debil criancinha me tornava.

Descuidada, feliz, docil tambem,

Se eu podesse dormir sobre o teu seio,

Se tu fosses, querida, a minha mãe!

Antero de Quental, 1886.

A mãe que em vez dos tristes filhos d'Eva,

Levanta aos ceus os filhos redemidos!

Em cantigos transforma os seus gemidos!

No Bem o mal, na doce luz a treva!

A mãe que os filhos todos encaminha

Ao Summo Bem, que traz no peito occulto;

Erguei-lhe pois altar, prestae-lhe culto;

Tem jus a que brandeis==Salvé Rainha

Manuel de Arriaga, 1899.

Vem do amor a Beleza,

Como a luz vem da chama.

É lei da natureza:

Queres ser bela? — ama.

Formas de encantar,

Na tela o pincel

As pode pintar;

No bronze o buril

As sabe gravar;

E estátua gentil

Fazer o cinzel

Da pedra mais dura...

Mas Beleza é isso? — Não; só formosura.

Sorrindo entre dores

Ao filho que adora

Inda antes de o ver

— Qual sorri a aurora

Chorando nas flores

Que estão por nascer —

A mãe é a mais bela das obras de Deus.

Se ela ama! — O mais puro do fogo dos céus

Lhe ateia essa chama de luz cristalina:

É a luz divina

Que nunca mudou,

É luz... é a Beleza

Em toda a pureza

Que Deus a criou.

Almeida Garrett, 1853.

A mãe em tudo revela a maternidade—Seja ella a mãe de Christo ou a fêmea de um leão—entre a brandura celestial da santa e a ferocidade mundana da leoa está esse sentimento sublime, esse amor incomparavel que tudo pode, tudo vence, tudo desbarata para salvar o filho. Penda para uma das extremidades, penda para a outra, seja divina ou seja bestial, ha de ser mãe—ora commove pedras com as lagrimas do anjo, ora vence gigantes com as garras da fera; ora pede de joelhos, ora ameaça—com as unhas; ora supplicante, ora ameaçadora; mas sempre imponente, sempre sublime, sempre mãe.

Aluísio Azevedo, 1879.

— Ó Noute minha Mãe na Immensidão!

— Ó Noute Grande, pelos Céus Senhora...

— Scintil d'Estrellas n'Essa Solidão...

— Eu, Sobre a Terra, Sou a Vencedora!...

— Erguida nas Sandalias Encurvadas

Sou de Pé ante Ti, ó Verdadeira!

Dama da Vida, pelo Amor Ungida...

Senhora Principal... Dama da Vida!

Eu, Tua Padre-Mãe! — a Derradeira...

— Entre as Vagas de Incenso a Ti Votadas...

Ângelo de Lima, 1915.

Ai! que triste a sina minha,

Ai! que triste o meu penar,

Que não sei de pai nem mãe,

Nem irmãos a quem amar. [...]

Mas ao desviar os olhos,

Viu coisa que a fez pasmar.

Uma cabra toda branca

Se lhe fora aos pés deitar. [...]

Eis vai a cabra fugindo

Pelos vales sem parar:

Ia a cabreira (pastora) atrás dela,

Mas não pode alcançar. [...]

Chorava o rei e a rainha

Há dez anos, sem cessar,

Que lhe roubaram a filha

Numa noite de luar.

E dez anos são passados

Sem mais dela ouvir falar.

Eis que chega a cabreira (pastora) à porta,

À porta se foi sentar.

Ai que bonita cabreira...

Que lá em baixo vejo estar!

E uma cabra toda branca,

Que nem se deixa fitar. [...]

Pela minha c'roa de ouro

Eu quero agora apostar

Que é esta a filha roubada

Numa noite de luar.

Milagre! quem tal diria!

Quem tal pudera contar!

A cabrinha toda branca

Ali se pôs a falar.

Esta é a filha roubada

Numa noite de luar,

Andou sete anos no monte

Quem nasceu para reinar! [...]

Vão procurar a cabrinha...

Ninguém a pôde encontrar:

Mas...

Mas um anjo de asas brancas

Viram aos céus a voar.

Júlio Dinis, 1867.

Como os demais pequenos da minha geração, ao lado da minha mãe, estreitamente aconchegado a ela, eu esperava que o sacerdote trouxesse nos seus braços e aproximasse dos meus beijos os refeguinhos do recém-nascido, enquanto o gemido da gaita de foles e o frêmito dos pandeiros acompanhavam a melodia dos vilancicos populares e das loas ao

Menino Jesus.

Ramalho Ortigão, 1885.

É do sangue e das mães que eu fallo; e certo,

Que ha na vida mais santo? O sangue é vida;

E as mães fonte da vida: eu nunca esperto

Esta lampada d'alma, suspendida

Na abobada eterna e que tão perto

Parece ter a origem ....

.... senão quando

Vejo essa cara imagem suspirando.

Eu amo as mães, seu nome é terno e dôce;

Sim, amo as mães: nossa alma d'ellas nasce.

(trecho) João de Deus, 1876.

Que eu já não posso coa vida

E os anjos chamam por mim.

Adeus, mãe, adeus! ... Assim,

Junta os teus lábios aos meus

E recebe o último adeus

Neste suspiro... Não chores

Não chores: aquelas dores

Já sinto acalmar em mim.

Adeus, mãe, adeus!... Assim,

Junta os teus lábios aos meus...

Um beijo — um último... Adeus!

Almeida Garrett, 1853.

Num sonho todo feito de incerteza,
De nocturna e indizivel anciedade,
É que eu vi teu olhar de piedade
E (mais que piedade) de tristeza…
Não era o vulgar brilho da belleza,
Nem o ardor banal da mocidade…
Era outra luz, era outra suavidade,
Que até nem sei se as ha na natureza
Um mistico sofrer… uma ventura
Feita só do perdão, só da ternura
E da paz da nossa hora derradeira…

Antero de Quental, 1886.

—Bendita seja a Mãe que te gerou.—
Bendito o leite que te fez crescer
Bendito o berço aonde te embalou
A tua ama, pra te adormecer!

Bendita essa canção que acalentou
Da tua vida o doce alvorecer ...
Bendita seja a Lua, que inundou
De luz, a Terra, só para te ver ...

Benditos sejam todos que te amarem,
As que em volta de ti ajoelharem
Numa grande paixão fervente e louca!

E se mais que eu, um dia, te quiser
Alguém, bendita seja essa Mulher,
Bendito seja o beijo dessa boca!!

Florbela Espanca, 1919.

Patria! berço d'amor, que a alma embala
Em quanto a luz vital nos illumina,
E onde só descançado se reclina
Quem, longe d'ella, dôr contínua rala...
Se n'essa essencia, mãi! que a flôr exhala
Na essencia d'uma flôr d'essa collina,
Vês lagrimas d'amor que dentro a mina,
Com saudades de quem do céo lhe falla:
Se quando, o céo buscando, o fumo ondeia,
Quando esse valle o sol deixa indeciso,
Vês como fumo e flôr aspira, anceia
Um pai, um Deus, um céo, um paraiso,
Ah! tendo eu tudo, tudo, em minha aldeia,
Vê tu se labio meu desfolha um riso!

João de Deus, 1876.

Choram por mim... Por mim a mãe querida

Em soluços — adeus — nem dizer pode...

Debalde balbucia; os lábios tremem,

E a dor a voz lhe embarga...

Banhado tem o rosto

De cristalino pranto, e cor de sangue

Os olhos já cansados [...]

A luz de bento círio,

Que ante um sagrado Crucifixo ardia.

Chorava minha mãe, e seus cabelos

Sobre meu frio peito debruçavam-se.

Colocado entre o mundo e a Eternidade,

Meu ser se dividia, e ingente peso

O aflito coração me comprimia,

Como se férreos braços me cerrassem.

Ah! por que inteiro conservou-se o estame

Em luta tão cruel? E' qu' eu devia

Sofrer mais este golpe, e da existência

Não estava inda o círculo completo;

Assaz não tinha o Mundo conhecido,

Conhecê-lo devia.

Domingos José Gonçalves de Magalhães, 1833.

Meu podre coração que estremecias,

Suspira a desmaiar no peito meu:

Para enchê-lo de amor, tu bem sabias

Bastava um beijo teu!

Se abriu tremendo os íntimos refolhos,

Se junto de teu seio ele tremia,

É que lia a ventura nos teus olhos,

E que deles vivia!

Via o futuro em mágicos espelhos,

Tua bela visão o enfeitiçava,

Sonhava adormecer nos teus joelhos...

Tanto enlevo sonhava!

Como o vale nas brisas se acalenta,

O triste coração no amor dormia;

Na saudade, na lua macilenta

Sequioso ar bebia!

Se nos sonhos da noite se embalava

Sem um gemido, sem um ai sequer,

É que o leite da vida ele sonhava

Num seio de mulher!

Álvares de Azevedo, 1853.

Oh! dias da minha infância!

Oh! Meu céu de primavera!

Que doce a vida não era

Nessa risonha manhã!

Em vez das mágoas de agora,

Eu tinha nessas delícias

De minha mãe as carícias

E beijo de minha irmã!

Casimiro de Abreu, 1859.

Minha mãe era bonita,

Era toda a minha dita,

Era todo o meu amor.

Seu cabelo era tam louro,

Que nem uma fita de ouro

Tinha tamanho esplendor.

Suas madeixas luzidas

Lhe cahiam tam compridas,

Que vinham-lhe os pés beijar.

Quando ouvia as minhas queixas,

Em suas áureas madeixas

Ella vinha me imbrulhar.

Também quando toda fria

A minha alma estremecia,

Quando ausente estava o sol,

Os seus cabellos compridos,

Como fios aquecidos,

Serviam-me de lençol.

Junqueira Freire, 1867.

Da pátria formosa distante e saudoso,

Chorando e gemendo meus cantos de dor,

Eu guardo no peito a imagem querida

Do mais verdadeiro, do mais santo amor;

Minha Mãe!

Nas horas caladas das noites d´estio

Sentado sozinho co´a face na mão,

Eu choro e soluço por quem me chamava

— Oh filho querido do meu coração!

Minha Mãe! —

No berço, pendente dos ramos floridos,

Em que eu pequenino feliz dormitava:

Quem é que esse berço com todo o cuidado

Cantando cantigas alegre embalava?

Minha Mãe!

De noite, alta noite, quando eu já dormia
Sonhando esses sonhos dos anjos dos céus,
Quem é que meus lábios dormentes roçava,
Qual anjo da guarda, qual sopro de Deus?
Minha Mãe! —
Feliz o bom filho que pode contente
Na casa paterna de noite e de dia
Sentir as carícias do anjo de amores,
Da estrela brilhante que a vida nos guia!

Minha Mãe!

Por isso eu agora na terra do exílio,
Sentado sozinho co´a face na mão,
Suspiro e soluço por quem me chamava:
— Oh filho querido do meu coração! —
Minha Mãe!

Casimiro de Abreu, 1859.

Sei que um dia não há (e isso é bastante

A esta saudade, mãe!) em que a teu lado

Sentir não julgues minha sombra errante,

Passo a passo a seguir teu vulto amado.

— Minha mãe! minha mãe! — a cada instante

Ouves. Volves, em lágrimas banhado,

O rosto, conhecendo soluçante

Minha voz e meu passo costumado.

E sentes alta noite no teu leito

Minh'alma na tua alma repousando,

Repousando meu peito no teu peito...

E encho os teus sonhos, em teus sonhos brilho,

E abres os braços trêmulos, chorando,

Para nos braços apertar teu filho!

Olavo Bilac, 1934.

Acorda Venus irada:

Amor a conhece; e então

Da ousadia, que teve,

Assim lhe pede o perdão:

Foi facil, ó Mãe formosa,

Foi facil o engano meu;

Que o semblante de Marilia

He todo o semblante teu.

Tomás Antônio Gonzaga, 1824.

Eu não sou tua mãe que te preza?

Tu não vês cuidados maternos?

E me escondes as dores que sentes?

Não sei eu teus desgostos internos?[...]

Tu deixaste os logares da infância,

Mais as flores do nosso jardim.

Já não brotam, não cheiram as flores,

Já não deitam perfumes assim.

(Trecho) Junqueira Freire, 1867.

Boa e sincera mãe que vi ontem, tão mansa, tão entregue ao seu pequenino! Era bonita, mas como que o ignorava. Estava tão despreocupada no bonde como se estivesse em sua casa. Trasia o filhinho ao regaço, e brincava-lhe com uma das mãosinhas, fazendo-a saltar, arremessando-a e abaixando-a, aos pequenos tapas, como uma bola. O pequeno ria-se de quando em quando, e a cada risada o rosto da mãe tomava uma expressão forte, escultural de felicidade plena e remansosa.

A certo momento, pegou a criança pelo tronco, pô-la em pé sobre os joelhos, e começou a sacudi-la como a pregar-lhes sustos. Fazia-lhe, ora, uma cara de surpresa cómica, arregalando os olhos; ora, uma cara de cólera, carregando as sobrancêlhas, afuzilando o olhar; ora, uma cara de choro desconsolado, em que todos os músculos se relaxavam e as pálpebras e os cantos da boca descaíam.

Jogral do seu pequerrucho, essa mãe se esquecia de si, se despojava de todas as preocupações habituais, concentrava toda a sua vida naquele sêr único, pequenino e fragílimo.

Amadeu Amaral, 1938.

O mesmo fogo da paixão,
a mesma voluptuosidade do prazer, que
deixara uma sombra das suas erupções
no rosto envelhecido da mãe, brilhava nos
olhos pretos e fulgidos, no sorriso languido
e no requebro gracioso da filha; mas a
inocência e pureza d'alma vendavam
ainda essas irradiações com a expressão
modesta e ingénua, que as tornava
mais perigosas.

José de Alencar, 1865.

[...] como representasse para

ela o papel de mãe, repetia-lhe

baixinho, com a voz commovida e os

óculos embaçados pelas lagrimas, os

invariáveis conselhos, que é de longo

costume se dar n'essas occasiões.

Aluísio Azevedo, 1882.

Só a materna saudade

Nossa carreira detém,

Embora no Céu, quem há de

Esquecer o amor de mãe?

Júlio Dinis, 1868.

"Ó mar salgado, quanto do teu sal
São lágrimas de Portugal!
Por te cruzarmos, quantas mães choraram,
Quantos filhos em vão rezaram!
Quantas noivas ficaram por casar
Para que fosses nosso, ó mar!

Valeu a pena? Tudo vale a pena
Se a alma não é pequena.
Quem quer passar além do Bojador
Tem que passar além da dor.
Deus ao mar o perigo e o abismo deu,
Mas nele é que espelhou o céu"

Fernando Pessoa, 1934.

Quem foi que o berço me embalou da infância
Entre as doçuras que do empíreo vêm?
E nos beijos de célica fragrância
Velou meu puro sono? Minha mãe!
Se devo ter no peito uma lembrança
É dela, que os meus sonhos de criança
Dourou: — é minha mãe!

Quem foi que no entoar canções mimosas
Cheia de um terno amor — anjo do bem
Minha fronte infantil — encheu de rosas
De mimosos sorrisos? — Minha mãe!
Se dentro do meu peito macilento
O fogo da saudade me arde lento
É dela: minha mãe.

Qual anjo que as mãos me uniu outrora
E as rezas me ensinou que da alma vêm?
E a imagem me mostrou que o mundo adora,
E ensinou a adorá-la? — Minha mãe!
Não devemos nós crer num puro riso
Desse anjo gentil do paraíso
Que chama-se uma mãe?

Por ela rezarei eternamente
Que ela reza por mim no céu também;
Nas santas rezas do meu peito ardente
Repetirei um nome: — minha mãe!
Se devem louros ter meus cantos d'alma
Oh! do porvir eu trocaria a palma
Para ter minha mãe!

Machado de Assis, 1959.

Seus olhos eram suaves,

Como o gorjeio das aves

Sôbre a choça do pastor.

Minha mãe era mui bella,

— Eu me lembro tanto dela,

De tudo quanto era seu!

Tenho em meu peito guardadas

Suas palavras sagradas

Co' os rizos que ella me deu.

Os meus passos vacillantes

Foram por largos instantes,

Insinados pelos seus.

Os meus lábios mudos, quedos

Abertos pelos seus dedos,

Pronunciaram-me: — Deus!

Mais tarde — Quando acordava

Quando a aurora despontava,

Erguia-me sua mão.

Fallando pela voz d'ella,

Eu repetia, singela,

Uma formosa oração.

Minha mãe era mui bella,

— Eu me lembro tanto d'ella,

De tudo quanto era seu! [...]

Estes pontos que eu imprimo,

Estas quadrinhas que eu rimo,

Foi ella que me ensinou.

As vozes que eu pronuncio,

Os cantos que eu balbucio,

Foi ella que m'os formou.

Minha mãe! — diz-me esta vida,

Diz-me também esta lida,

Esta retroz, esta lan:

Minha mãe! — diz-me este canto,

Minha mãe! — diz-me este pranto,

— Tudo me diz: — Minha mãe! —

Minha mãe era mui bella,

— Eu me lembro tanto d'ella,

De tudo quanto era seu!

Minha mãe era bonita,

Era toda a minha dita,

Era tudo e tudo meu.

Junqueira Freire, 1867.

Alma da Dor, do Amor e da Bondade,

Alma purificada no Infinito,

Perdão Santo de tudo o que é maldito,

Harpa consoladora da Saudade!

Das estrellas serena virgindade,

Caminho dos rosais do Azul bendito,

Alma sem um soluço e sem um grito,

Da alta Resignação, da alta Piedade!

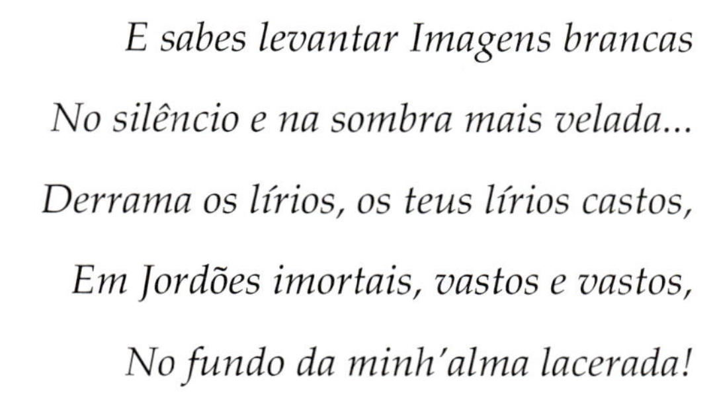

Eu, que as profundas lágrimas estancas

E sabes levantar Imagens brancas

No silêncio e na sombra mais velada...

Derrama os lírios, os teus lírios castos,

Em Jordões imortais, vastos e vastos,

No fundo da minh'alma lacerada!

Cruz e Sousa, 1905.

Minha mãe, minha mãe! *ai que saudade immensa,*
Do tempo em que ajoelhava, orando, ao pé de ti.
Cahia mansa a noite; e andorinhas aos pares
Cruzavam-se voando em torno dos seus lares,
Suspensos do beiral da casa onde eu nasci.
Era a hora em que já sobre o feno das eiras
Dormia quieto e manso o impavido lebréu.
Vinham-nos das montanhas as canções das ceifeiras,
Como a alma d'um justo, ia em triumpho ao céo!...
E, mãos postas, ao pé do altar do teu regaço,
Vendo a lua subir, muda, alumiando o espaço,
Eu balbuciava a minha infantil oração,
Pedindo a Deus que está no azul do firmamento
Que mandasse um allivio a cada soffrimento,
Que mandasse uma estrella a cada escuridão.

Guerra Junqueiro, 1885.

Minha mãe! Vive ainda, minha querida mãezinha?

perguntara Luísa, chorando e sorrindo alternativamente, beijando como louca sem ordem nem moderação, aquele cadáver que se tornara vivente, aquela vida que ressuscitara no seio da natureza onde lhe parecera que se havia afundado para nunca mais voltar como se afundam as borboletas que as tempestades arrojam aos charcos e marnéis.

Franklin Távora, 1876.

Primicias do meu amor!

Meu filhinho! do meu seio

Tenro fructo que á luz veio

Como á luz da aurora a flôr!

Na tua face, innocente,

De teu pai a face beijo,

E em teus olhos, filho, vejo

Como Deus é providente. [171]

Via em lamina doirada

O meu rosto todo o dia

E a minha alma não se havia

De vêr nunca retratada?

Quando o pai me unia á face,

E em seus braços me apertava,

Pomba, ou anjo nos faltava

Que ambos juntos abraçasse!

Felizmente, Deus que o centro

Vê da terra e vê do abysmo,

Que bem sabe no que eu scismo,

Na minha alma um altar viu dentro:

Mas com lampada sem brilho,

Sem o deus a que era feito...

Bafeja-me um dia o peito,

E eis feito o meu gosto, filho!

Como em lagrimas se espalma

Dôr intima e se esvaece

D'alma o resto quem podesse

Vasar n'um beijo em tua alma! [172]

Mas em ti minha alma habita!

Mas teu riso a vida furta...

Mas (que importa!) morte curta!

Se um teu beijo ressuscita!

João de Deus, 1876.

E se eles defendem a bandeira
Da terra que adorais,
Onde viram um dia a luz primeira
Ó mães, por que chorais?!

Uma lágrima triste, agora é
Cobardia, fraqueza!
Nos campos de batalha cai de pé
A alma portuguesa!

Pela terra de estrela e tomilhos,
De sol, e de luar,
Deixai ir combater os vossos filhos
Ao longe, heróis do mar!

Dum português bendito, sem igual
Eu sigo o mesmo trilho:
Por cada pedra deste Portugal
Eu arriscava um filho!

Por isso ó mãe doloridas, pelo leito
De morte, onde ajoelhais,
Esmagai vossa dor dentro do peito
Ó mães não choreis mais!

A pátria rouba os filhos, mas é mãe
A mãe de todos nós
Direito de a trair não tem ninguém
Ó mães nem sequer vós!

Florbela Espanca, 1916.

Escuta, meu filho,

O brado materno,

E ao rosto paterno,

Vem, tira-lhe o dó.

O Christo dos nossos

Não vem perseguir-nos

N'um povo, n'um só.

Ah! Volta, meu filho,

Á mãe que te chora.

(Trecho) Junqueira Freire, 1867.

Quem me déra voar aonde agora

Me leva o pensamento!

Iria aos braços teus buscar allivio

Á dor que me devora!

Iria juncto a ti viver feliz

Como vivêra outr'ora!

Guerra Junqueiro, 1864.

Qual é a mãe, qual é a avósinha, que não conserva,
embrulhado em papel de seda, os
brincos com que casou ou a medalha
em que guardava o retrato do marido
ou do filho?

Aluísio Azevedo, 1882.

INFORMAÇÕES SOBRE A

GERAÇÃO EDITORIAL

Para saber mais sobre os títulos e autores
da **GERAÇÃO EDITORIAL**,
visite o site www.geracaoeditorial.com.br
e curta as nossas redes sociais.

Além de informações sobre os próximos lançamentos,
você terá acesso a conteúdos exclusivos
e poderá participar de promoções e sorteios.

geracaoeditorial.com.br

/geracaoeditorial

@geracaobooks

@geracaoeditorial

Se quiser receber informações por e-mail,
basta se cadastrar diretamente no nosso site
ou enviar uma mensagem para
midias@geracaoeditorial.com.br

GERAÇÃO EDITORIAL

Rua Gomes Freire, 225 – Lapa
CEP: 05075-010 – São Paulo – SP
Telefax: (+ 55 11) 3256-4444
E-mail: geracaoeditorial@geracaoeditorial.com.br